MONSTER HIGH

13
Wishes/Souhaits

D1382735

A new school year begins at Monster High. Clawdeen, Frankie, Ghoulia, Draculaura and their ghoulfriends are looking forward to this new fangtastic year! "They forecast a total eclipse above our high school this week," says Draculaura, while looking at Ghoulia's tablet. The ghouls have no doubt this year will be freaky fabulous!

MONSTER HIGH

C´est la rentrée des classes à Monster High. Pour Clawdeen, Frankie, Ghoulia, Draculaura et leurs amies goules, c´est une nouvelle année monstraculaire qui commence. « Cette semaine, il y aura une éclipse juste au-dessus du lycée », annonce Draculaura, en regardant la tablette électronique de Ghoulia. Les goules n´ont aucun doute que cette année sera fabuleuse !

But Howleen is not as happy as her friends. She is jealous of the popularity of her big sister, Clawdeen. It is so hard to live in her shadow... How can you stand out when you are the kid sister of the most popular werewolf? No time for complaining, this year will be the year of Howleen!

Mais Howleen n´est pas aussi joyeuse que ses camarades. Elle est jalouse du succès de sa grande sœur, Clawdeen. C´est difficile de vivre dans son ombre... Comment se faire remarquer quand on est la sœur de la plus populaire des loups-garous ? Hors de question de se lamenter. Cette année, c´est décidé, Howleen va tout faire pour sortir du lot !

Trying to do everything she can to draw the other students' attention, she sets up a neon sign with her name above the school entrance! Impossible to go unnoticed... Sadly, the school rules are rather strict. No playing with electricity. As a result, all the ghouls are collectively punished! If she wanted the others attention, she succeeded, and because of Howleen, the girls have to clean up the school's attic. Great way to start the year!

Pour mettre toutes les chances de son côté, Howleen a prévu les choses en grand ; son nom illuminé sur le portail du lycée ! Avec ça, impossible de passer inaperçue... Malheureusement, le règlement de l'école est plutôt strict ; on ne joue pas avec l'électricité. Punition collective dès le premier jour ! Pour se faire remarquer, c'est réussi, à cause de Howleen, les filles sont obligées de nettoyer le vieux grenier de l'école. L'année commence bien !

Howleen is ashamed and she hides in a dusty corner of the attic. Suddenly, as she is polishing an old bronze lantern, smoke comes out of it and a young ghoul appears magically. She introduces herself: her name is Gigi Grant and she is a genie, ready to fulfill her wishes. Unbelievable! "You are entitled to 13 wishes," Gigi says. Beware! "You must use them for unselfish purposes."

Honteuse, Howleen se fait toute petite dans un coin poussiéreux du grenier. Alors qu'elle astique une vieille lampe en bronze, une fumée s'en échappe et une jeune goule apparaît comme par magie. Elle se présente aussitôt ; Gigi Grant, génie, à votre service... Incroyable ! « Tu as droit à treize vœux, lui explique Gigi. Mais attention, tu dois les utiliser pour faire le bien autour de toi. »

Howleen decides to use her first wish to help her ghoulfriend, Lagoona. The sea creature is in love with Gil, a fresh-water monster, whose family would never accept their relationship. Gigi obeys and transforms Lagoona into a fresh-water creature. "Thank you so much, Howleen, now Gil and I will no longer need to hide!" Lagoona exclaims.

MONSTER HIGH

Howleen décide de mettre son premier vœu au service de son amie Lagoona. Amoureuse de Gil, un monstre d'eau douce, la créature marine rêve d'être acceptée par la famille de son fiancé. Aussitôt dit, aussitôt fait, Gigi transforme Lagoona en monstre d'eau douce. « Merci Howleen, grâce à toi, Gil et moi n'aurons plus à nous cacher ! » s'exclame Lagoona.

Farther on, Howleen stumbles on her brother, Clawd, and his daredevil fiends, Heath Burns and Manny Taur. They are rehearsing their stunts for the casting of their favorite show, Die Trying. Howleen has a terrific idea. In a blink of an eye, Gigi makes their dream come true ; they are suddenly under the spotlights, on the air, in the presence of their favorite show host!

Un peu plus loin, Howleen rencontre son frère, Clawd, et ses copains casse-cou, Heath Burns et Manny Taur. Ils sont en train de répéter leurs cascades pour le casting de l'émission *Têtes brûlées*. Howleen a une idée goulifique. En un claquement de doigts, Gigi réalise leur rêve de toujours ; les voilà sous les projecteurs, en direct, devant le présentateur vedette de leur émission préférée !

This year, Abbey has decided to run for the school elections. She is chilltastically gifted for politics and dreams of being student president! Her friends encourage her, but she is at the bottom of the polls. Howleen helps her out : thanks to Gigi's powers, Abbey wins the elections. "Not only can I help my friends, but also everyone loves me. I am on the way to becoming the most popular ghoul in school!" Howleen is delighted.

Cette année, Abbey a décidé de se présenter aux élections de l'école. Elle a un don horrifrayant pour la politique et se voit déjà présidente des élèves ! Ses amies l'encouragent, mais elle semble mal partie pour gagner. Howleen décide de lui donner un petit coup de pouce ; grâce aux pouvoirs de Gigi, Abbey remporte les élections. « Non seulement j'aide mes amis, mais en plus tout le monde m'adore. Je suis en train de devenir la goule la plus populaire du Lycée ! » se réjouit Howleen.

Nevertheless, Gigi the genie is not as enthusiastic. She confides in Frankie: once Howleen has pronounced her last wish, Gigi will have to go back in the lantern. "We will find a solution," Frankie says reassuringly. Nothing is less certain, but Gigi cannot say more. She knows that the situation will soon deteriorate. Besides, since she has become popular, Howleen tends to reveal a dreadfully haughty character trait.

Pourtant, Gigi le génie n'est pas aussi enthousiaste. Elle se confie à Frankie : une fois que Howleen aura prononcé son dernier vœu, Gigi devra retourner dans sa vieille lampe. « Nous trouverons une solution », la rassure Frankie. Gigi détourne les yeux ; elle ne peut pas en dire plus, mais elle sait que la situation ne tardera pas à se gâter. D'ailleurs, depuis qu'elle est populaire, Howleen commence déjà à se montrer affreusement hautaine et égoïste.

Gigi is right... After the first good moments, change comes at Monster High! Something has gone wrong, but what? Lagoona's behaviour is getting weirder and weirder and Abbey, head of the students' council, reigns more like a tyrant than an attentive president. As for Clawd and his friends, they find the Die Trying challenges more dangerous in real than on television: they are suicide!

Gigi ne se trompe pas... Après le bonheur des premiers instants, le vent semble tourner à Monster High. Quelque chose ne va pas, mais quoi ? Lagoona a un comportement de plus en plus étrange, et Abbey, à la tête du conseil des élèves, se comporte davantage en tyran froid qu'en présidente attentionnée. De leur côté, Clawd et ses amis trouvent les épreuves de l'émission *Têtes brûlées* beaucoup plus dangereuses en vrai qu'à la télévision : c'est du suicide !

Twyla, Frankie and Gigi are worried. Together, they try to find a solution. Gigi explains that she is not allowed to influence the finder in her choices. "If you can't, at least we can try!" Frankie says. Unfortunately, Howleen's new popularity makes her inaccessible. When her ghoulfriends try to show her how wrong things are going, Howleen rejects them : "You are just jealous of my new powers!"

Alarmées par la situation, Twyla, Frankie et Gigi essaient de trouver une solution. Gigi leur explique qu'elle n'a pas le droit d'influencer sa propriétaire dans ses choix. « Mais nous, en revanche, nous pouvons essayer ! » déclare Frankie. Malheureusement, sa toute nouvelle popularité a rendu Howleen inaccessible. Lorsque ses amies essaient de lui montrer que les choses tournent mal, Howleen les repousse : « Vous êtes jalouses de mes pouvoirs, c'est tout ! »

In her turn, Cleo tries to bring Howleen to her senses, but she gets mad and uses a wish to punish her: from now on, Cleo will be a total stranger to everybody. Listening to the little voice in her head, Howleen uses another wish to finally get rid of her popular sister and she makes her disappear for good. Clawdeen is stuck into the lantern, while her shadow remains wandering in the creeperific corridors.

Lorsque Cleo tente à son tour de lui faire entendre raison, Howleen se fâche et décide d'utiliser un nouveau vœu pour la punir ; désormais, plus personne ne reconnaîtra Cleo ! Cédant à la petite voix dans sa tête qui lui répète de se débarrasser de Clawdeen pour être enfin la fille la plus populaire de l'école, Howleen utilise un autre vœu pour faire disparaître sa sœur. La voilà prisonnière de la lampe ! Seule son ombre erre encore dans les couloirs horrifrayants du lycée.

When the ghouls turn to Gigi, she has no choice but to tell them her terrible secret. Howleen is under the influence of Whisp, the monstrously malefic shadow of Gigi. If Whisp manages to convince Howleen to surrender to her dark side before the total eclipse, then the shadow will become real and will rule on Monster High. Gigi will be imprisoned in the lantern along with all the students for ever.

Lorsque les filles se tournent vers Gigi pour lui demander des explications, celle-ci finit par avouer son terrible secret. Howleen agit sous l'influence de Whisp, l'ombre monstrueusement maléfique de Gigi. Si Whisp réussit à convaincre Howleen de s'abandonner à son côté sombre avant l'éclipse totale, alors l'ombre deviendra réelle et régnera sur Monster High. Gigi ainsi que tous les élèves seront emprisonnés à jamais dans la lampe.

"We need to do something!" Frankie, Draculaura and Ghoulia are sure that Clawdeen is the only one who can convince Howleen to resist Whisp. Gigi agrees to send them into the lantern, and she gives them a magical sphere that will enable the ghouls to come back to reality once they have found Clawdeen.

« Il faut faire quelque chose ! » Persuadées que seule Clawdeen peut convaincre Howleen de résister à Whisp, Frankie, Draculaura et Ghoulia décident de partir à sa recherche dans la lampe. Gigi accepte de les y envoyer et leur confie une sphère magique qui leur permettra de revenir à la réalité une fois qu'elles auront retrouvé Clawdeen.

Meanwhile, at Monster High, everything is upside down. Clawd and his friends have to hide themselves from the monstrously crazy Die Trying show host. Lagoona is more and more obsessed, and Gil grows bored. As for Cleo, no one seems to recognize her, not even her boyfriend, Deuce! Howleen's wishes turn out to be a real curse for those she tried to help in the first place.

Pendant ce temps, rien ne va plus à Monster High. Clawd et ses amis sont contraints de se cacher pour échapper à l'animateur monstrueusement fou de *Têtes brûlées*. L'obsession de Lagoona commence à lasser Gil, qui se demande s'il est encore amoureux d'elle. Quant à Cleo, plus personne ne semble la reconnaître, pas même son ami de cœur Deuce ! Les vœux de Howleen sont en fait une véritable malédiction pour ceux qu'elle a tenté d'aider.

Cleo has decided not to let things get her down. Twyla eventually recognizes her and Cleo explains that she plans to throw a big monsterrific party to gain her popularity back. The best idea would be to organize the party on the day of the eclipse! The whole school will be there and Cleo will be a star again... She can't wait to see Howleen's face when she steals the spotlight from her.

Cleo a décidé de ne pas se laisser faire. Twyla finit par la reconnaître et Cleo lui explique qu'elle va organiser une grande fête goulifiante afin de regagner sa popularité perdue. Le meilleur moyen pour marquer les esprits, c'est de choisir la date de l'éclipse ! Toute l'école sera réunie et Cleo redeviendra la star... Elle a hâte de voir la tête de Howleen quand elle lui volera la vedette !

Inside the lantern, the ghouls find Clawdeen. She leads them in a fangtastic library, where she has discovered an old grimoire that might interest them. The Grimm Brothers tell the story of Gigi and Whisp. If only Howleen could understand what's going on, she would be able to resist Whisp.

À l'intérieur de la lampe, les goules réussissent à retrouver Clawdeen. Elle les entraîne alors dans une bibliothèque sang-tastique, où elle a découvert un vieux grimoire qui pourrait les intéresser. Les Frères Grimm y racontent l'origine de Whisp et de Gigi. Si seulement Howleen pouvait comprendre ce qui se passe, il serait plus facile pour elle de résister à Whisp.

The genie-ology book explains how Whisp was created to keep Gigi company. During a total eclipse, Gigi's shadow came to life and the sisters became best friends. Soon, Whisp started to feel jealous of Gigi's powers and began to influence people's wishes to grow more and more powerful. Worried, the Grimm Brothers created a magical mirror to protect Gigi. But when she tried to use it against Whisp, the mirror broke into thirteen pieces that scattered all around the lantern.

Le livre de géniologie explique qu'à l'origine, Whisp a été créée pour tenir compagnie à Gigi. Lors d'une éclipse totale, l'ombre du génie a pris vie et les deux sœurs sont aussitôt devenues amies. Mais peu à peu, Whisp a commencé à jalouser les pouvoirs de Gigi, et elle s'est mise à influencer les vœux des gens pour obtenir de plus en plus de pouvoir. Soucieux, les Frères Grimm ont alors conçu un miroir magique pour protéger Gigi. Or lorsque cette dernière a essayé de s'en servir contre Whisp, le miroir s'est brisé en treize morceaux aujourd'hui éparpillés aux quatre coins de la lampe.

Between the pages of the book, the ghouls find a map of the lantern showing where the thirteen pieces of the mirror are hidden. If they manage to gather them, they will be able to thwart Whisp's plans and save Monster High. "We have no time to lose!"

Bien caché dans le grimoire, les goules découvrent un plan de la lampe indiquant l'emplacement des treize morceaux de miroir. Si elles parviennent à le reconstituer, elles réussiront alors à déjouer les plans de Whisp et à sauver Monster High. « Pas de temps à perdre, en avant ! »

Meanwhile, in the real world, Twyla is worried. She has noticed that Clawdeen and Frankie's behaviour has dramatically changed. And she is right; since all the ghouls have been sent into the Lantern, only their shadows have remained in Monster High. Twyla hopes that the shadows will not try to rebel just like Whisp did by becoming Gigi's exact opposite!

Pendant ce temps, dans le monde réel, Twyla commence à se faire du souci. Elle a remarqué que le comportement de Clawdeen et de Frankie a monstrueusement changé. Et pour cause, comme les goules ont été envoyées dans la lampe, seules leurs ombres terrifiantes sont restées à Monster High. Pourvu que les ombres ne se rebellent pas, comme Whisp l'a fait en devenant l'opposé de Gigi !

Inside the lantern, the ghouls are actively searching for pieces of the mirror. Despite the obstacles that Whisp keeps sending their way, they stand firm. The fate of Howleen and Monster High depends on them! One by one, they gather all the pieces. There is just one last piece missing. "We are almost done!" According to the map, the last fragment is in the huge treasure room, at the bottom of the lantern.

Dans la lampe, la recherche des morceaux de miroir se poursuit. Malgré les obstacles que Whisp met en travers de leur chemin, les goules tiennent bon. Elles seules peuvent sauver Howleen et le Lycée ! Un à un, les morceaux sont rassemblés. Bientôt, il ne reste plus que le dernier. « Nous y sommes presque ! » Le plan indique que l'ultime éclat de miroir se trouve dans la vaste salle du trésor, tout au fond de la lampe.

At Monster High, reality is turning into a nightmare scenario. Since Whisp is in control of Howleen's wishes, shadows threaten to take possession of the school; all the students are transforming into zombies. Today is the day of the eclipse. Everybody gathers in the schoolyard, where Cleo's party is supposed to happen. But Whisp has decided that her time has come. She will take advantage of the eclipse to turn into a real genie and gain power!

À Monster High, c'est la catastrophe. Depuis que Whisp contrôle les vœux de Howleen, les ombres menacent de prendre le dessus, transformant peu à peu tous les élèves en véritables zombies. L'éclipse est prévue pour aujourd'hui. Toute l'école se rassemble dans la cour, où doit avoir lieu la fête momifique de Cleo. Mais Whisp a décidé que ce sera son heure de gloire. Elle va profiter de l'éclipse pour se transformer en véritable génie et prendre le pouvoir !

Inside the lantern world, troubles are piling up. Whisp has thrown burning lava and fire between the ghouls and the last piece of mirror. Disappointed, the girls are about to give up and use Gigi's magical sphere to go back to the real world when, all of a sudden, Abbey appears in front of them. The icy president of the school's council has been sent into the lantern by Howleen, who wanted to get rid of her. Using her powers, Abbey immediately creates an ice bridge to help the ghouls reach the last piece.

Dans la lanterne, les obstacles s'accumulent. Whisp a déclenché un torrent de lave pour séparer les goules du dernier morceau de miroir. Découragées, elles s'apprêtent à utiliser la sphère magique que leur a donnée Gigi pour rentrer dans le monde réel, lorsque soudain, Abbey fait son apparition. La présidente glaciale du conseil des élèves a été envoyée dans la lanterne par Howleen, qui souhaitait ainsi se débarrasser d'elle. Se servant de ses pouvoirs, Abbey crée aussitôt un pont de glace pour aider les goules à atteindre le dernier morceau.

While the shadows are spreading in Monster High, the consequences of Howleen's first wishes become more and more dramatic. Lagoona is out of control! Gil feels like he doesn't know her any more. For their part, Clawd and his friends have to face the most terrible challenges! It's high time to put an end to this downward spiral before everything turns into chaos!

Alors que les ombres s'étendent à Monster High, les conséquences des vœux de Howleen prennent une tournure de plus en plus dramatique. Lagoona est devenue incontrôlable ! Gil ne la reconnaît plus. De leur côté, Clawd et ses amis enchaînent les épreuves, plus affreusement dangereuses les unes que les autres. Il est grand temps de mettre un terme à cette spirale infernale avant que tout ne bascule définitivement dans la folie !

The ghouls have finally managed to gather all the mirror pieces, despite Whisp's ghoulishly desperate attempts to stop them. Gigi's evil shadow eventually understands that she has made a mistake by telling Howleen to trap all the ghoulfriends together inside the lantern. At Monster High, like anywhere else, strength lies in numbers. Together, the ghoulfriends have overcome all the obstacles! Now, they only need to use the mirror against Whisp to send her back in her lantern...

Les goules ont enfin réussi à rassembler tous les morceaux du miroir, malgré les tentatives goulifiquement désespérées de Whisp pour les en empêcher. L'ombre maléfique de Gigi finit par comprendre qu'elle a commis une erreur tactique en suggérant à Howleen d'enfermer toutes les goules dans la lampe. Car à Monster High comme ailleurs, l'union fait la force. Ensemble, les amies ont surmonté tous les obstacles ! Il ne reste plus qu'à utiliser le miroir contre Whisp pour la renvoyer dans sa lampe...

The ghouls are about to go back to the real world by using the magic sphere when suddenly Whisp strikes back. She sends a terrible gargoyle that snatches the sphere from Frankie's hands. Deprived of their only way back, the ghouls collapse. "It's over. Whisp wins," they moan. That's when they have an electrifying idea...

Les goules s'apprêtent à rentrer dans le monde réel à l'aide de la sphère magique, mais Whisp n'a pas dit son dernier mot. Elle envoie une terrible gargouille arracher la sphère des mains de Frankie. Privées de leur unique moyen de s'échapper, les goules s'effondrent. « C'est terminé, Whisp a gagné », se lamentent-elles. C'est alors qu'elles ont une idée électrifiante...

Outside, the eclipse is imminent. It's the perfect moment for Whisp to influence Howleen's thoughts: "Use your last wish to set me free. If you help me, I will not be a shadow any more, prisoner of the lantern, but I will be real and I will rule Monster High!" Under her control, Howleen is not strong enough to resist.

Au-dehors, l'éclipse est imminente. C'est le moment que choisit Whisp pour influencer en sa faveur les pensées de Howleen : « Utilise ton dernier vœu pour me libérer. Grâce à toi, je ne serai plus une ombre enfermée dans la lampe, mais je serai bien réelle et je pourrai régner sur Monster High ! » Sous son contrôle, Howleen n'a pas la force de résister.

But the ghouls are still in the game. While the gargoyle runs away with the sphere, the ghouls dart toward it. They find flying carpets coiled up in a corner of the treasure room and grab them to chase it. After twists and turns in the lantern world, they manage to catch up with the gargoyle and take the magical sphere back from it. Straight after, they go back to Monster High, determined to put an end to Whisp's horrific scheming.

Mais c'est compter sans l'intervention des goules. Alors que la gargouille s'enfuit en emportant la sphère magique, les goules s'élancent à ses trousses. S'emparant de monstraculaires tapis volants enroulés dans un coin de la salle du trésor, elles décollent à sa poursuite. Après des tours et des détours dans le monde de la lampe, elles réussissent à rattraper la gargouille et à lui reprendre la sphère magique. Ni une ni deux, les voilà rentrées à Monster High, bien décidées à en finir avec les manipulations horrifrayantes de Whisp.

In the real world, though, the total eclipse has begun. The moon moves over the sun and, like Gigi had warned, Whisp starts to materialize. Soon, she will no longer be an immaterial shadow, but a powerful magician, in flesh and blood! Moving closer to Howleen, Whisp whispers in her ear that the time has come to pronounce her last wish, the wish that will make her real for good and will give her all powers. Hypnotized, Howleen opens her mouth...

Mais dans le monde réel, l'éclipse totale a déjà commencé. La Lune masque le soleil, et comme Gigi l'avait annoncé, les contours de Whisp se précisent. Bientôt, elle ne sera plus une ombre immatérielle, mais une magicienne goulifiquement puissante, en chair et en os ! Se rapprochant de Howleen, Whisp lui souffle que l'heure est venue de prononcer son dernier vœu, celui qui la rendra définitivement réelle et lui permettra de prendre le pouvoir sur Monster High. Hypnotisée, Howleen ouvre la bouche...

Suddenly, the ghouls appear and scream in unison: "No!" They hold the mirror in front of Howleen's eyes, revealing the whole truth about Whisp. They tell her how, locked up in the lantern, they have managed to thwart her evil plans. When she sees her friends and her family in front of her, Howleen understands that she does not need to be more popular; she already has the best gang of ghouls she can dream of!

« Non ! » s'exclament en chœur les goules, qui viennent de faire leur apparition. Brandissant le miroir reconstitué devant les yeux de Howleen, elles lui révèlent enfin toute la vérité à propos de Whisp, et comment, enfermées dans la lanterne, elles ont réussi à déjouer ses plans maléfiques. En voyant ses amies et sa sœur réunies devant elle, Howleen comprend brusquement qu'elle n'a pas besoin d'être plus populaire ; elle a déjà la meilleure bande de goules dont on puisse rêver !

Out of her trance, Howleen closes her mouth. She refuses to pronounce Whisp's last wish. When the eclipse is over, the shadows are sent back into the lantern. The ghouls have won! Howleen turns to Gigi to use her last wish: she makes her free from the lantern and appoints Whisp genie in her place. Delighted not to live in Gigi's shadow any more, and freed from her monstrous jealousy, Whisp agrees to take the oath of the genies. Hurrah! Gigi will stay at Monster High with her new ghoulfriends!

Sortant alors de sa transe, Howleen referme aussitôt la bouche. Elle ne prononcera pas le dernier vœu de Whisp. Lorsque l'éclipse se termine, les ombres sont renvoyées dans la lampe. Les goules ont gagné ! Howleen se tourne alors vers Gigi pour utiliser son dernier vœu ; elle libère Gigi de la lampe et nomme Whisp génie à sa place. Ravie de ne plus vivre dans l'ombre de Gigi et délivrée de sa monstrifiante jalousie, Whisp accepte de prêter le serment des génies. Hourra, Gigi va pouvoir rester à Monster High avec ses nouvelles amies !

It's time to go back to school! No more genies, eclipse and evil shadows! Once again, the ghouls have proven that together they can overcome any obstacles. Howleen is sorry for her terrible jealousy toward her sister, and she feels guilty for what happened. But Clawdeen and her friends gather around her for a giant hug: "We love you so much, Howleen!" Side by side and light-hearted, the ghouls go back to Monster High. Let the school year begin!

Les cours vont enfin pouvoir reprendre à Monster High. Plus de génies, d'éclipse et d'ombres maléfiques ! Une fois de plus, les goules ont prouvé qu'ensemble, on peut vaincre tous les obstacles. Une pour toutes et toutes pour une ! Howleen regrette d'avoir été monstrueusement jalouse de sa sœur, elle se sent coupable de tout ce qui est arrivé. Mais Clawdeen et ses amies se pressent autour d'elle pour la serrer dans leurs bras : « Nous t'aimons tellement, Howleen ! » C'est côte à côte et le cœur léger que les amies font leur entrée à Monster High. C'est une année goulifique qui commence !